나의 봄은 밤에 피었습니다

나
의
봄
은

밤
에
피
었
습
니
다

목차

# 1장 눈부신 당신에게

# 2장 삶에 녹아 피어난 것들

# 3장 그대 잠시 여기 피어났습니다

시인의
말

훗날 시들어 유행지난 나의 낭만이

누군가의 마음을 헝클어트린다면

난 기쁘게 피고 질 것 이다

1장.
눈부신 당신에게

살랑이는 밤에


너를 더하니


완벽한 봄이었다.

# 꽃말

너의 꽃말은 무엇일까

내게서 피어났으니

변치 않는 사랑이어라


나도 네게 피울 터이니

지지 않는 사랑이어라

# 그 밤

누군가에겐 지우고 싶은 밤

누군가에겐 평생 잊지 못할 밤

나에겐 그저 밤공기에 흐드러진

꽃들이 아름다워

기억 한 켠에 피고 질 밤


당신에게는

꽃도 별도 잔뜩 펴서

포롱거리는 밤이길

## 너에게 쓰는 시

아주 조그마한
마음이었다

성큼 자라버린 마음이
날 휘감은 채
천천히
살랑였다

일렁인다
간드러진 네 웃음에

다잡은 내 마음은
또 한 번 일렁인다

마음과 마음 사이에
마음이 피어난다
방향은 널 향해 있었다

밤하늘에 구름이 가득했다

지저분한 연습장과 낡은 펜,
그 사이에 네 웃음이 쏟아졌다
글자들이 너로 물들었다

이 글에는 구름이 가득하다

아니, 이 글에는 네가 가득하다

너는 구름 낀 하늘을 찡그리며 바라본다

맑은 하늘을 보지 못해
언짢은 듯 투덜거린다

너의 찡그린 시선에도
나는 또 한 번 일렁일 테니

그저 한 가득
내게 밀려오면 좋겠다

## 짝사랑

나의 한 걸음이
연약한 걸음이 되지 않기를
기도했다

너와의 거리까지 놓인 다리의 끝
저린 다리를 이끌어
한아름 헤매인다

자국만 남은 듯한 나의 마음을
다시 초록으로 채우고

그저 걸어가겠다

넘어져도 좋다
너에게 가는 중 이기에

그저 걸어가겠다

# 보이는 것과 보이지 않는 것

너는

메밀꽃

때로는

유채꽃

보이지 않는 네 마음에는

무슨 꽃을 피우고 있나

벚꽃을 피워

때론 나에게도

봄스럽게 나리면

좋으련만

# 걸음

너와 걸을 땐

빠르지 않게
느리지 않게

내 집중이 온통
발걸음에 쏟아진다

너와 걸을 때만큼은
내 발걸음이 야속하다

쓸모없던 나의 보폭이
내 신경을 모두 잡아먹을 무렵

너와 나
그 사이
애틋한 봉오리가
피어난다

# 나의 시

뻔하디 뻔한 글을 쓰고 싶지 않았다

어설픈 위로를 건네고 싶지 않았다

누군가의 흉내를 내고 싶지 않았다

복잡이 꼬여 엉켜버린 생각들을

보이고 싶지 않았다

그저 나의 꿈인 너에게

별이 되어라 말하고 싶었다

# 나의 봄은 밤에 피었습니다

나의 봄은 밤에 피어났으니

흩날리는 벚 바람에

못 이긴 척 내게 불어와 주시렵니까

나의 봄은 밤에 피었으니

달에 매달린 벚꽃과 당신 사이

그 떨림의 갈림길을

함께 걸어 주시렵니까

나의 봄은 밤에 피었으니

당신도 이 밤에

내게 피워 주시렵니까

# 핑계

봄이 온다는 핑계로
날씨가 좋다는 핑계로
꽃이 피었다는 핑계로

너에게 달려갔다

그저 핑계였던 것들이

너로 인해

봄이 오고,
날씨가 좋았으며,
꽃이 피었다

## 짝사랑2

그토록 작은 마음에
네 웃음 짓이 살랑이더니
사랑이 일었다

애써 멈춰있던
너에게 가는 길은

애씀을 비웃기라도 하는 듯
무언가 홀리기라도 한 듯

다시 너를 향했다

살랑이는 웃음에
다시 너를 향했다

# 닿을 수 없음에도

닿을 수 없음에도

멈춰버린

너를 향한다

나의 하루엔 네가 없지만

몽글한 구름에 적힌 마음이

사랑이라고 작게 읽혀지니

닿을 수 없음에도

너를 향한다

# 첫사랑

네 이름 세 글자에
떠오르는 것

해질녘,
소나기,
순수한 웃음

두근거리는 심장,
아름다운 벚꽃,
멈춰버린 숨

걷지 않아도 될 길을
나와 함께 걸어주었으니

네 이름 세 글자에
떠오르는 것

첫사랑

# 소나기

소나기가 내리면

멈춘 시간 속 은은한 기억

목마른 새싹들의 작은 콧노래

꽁꽁 감춰두었던 노오란 마음에

톡톡, 내리는 빗방울이

하늘색 물감으로

너의 표정을 그려 내린다

## 너에게 하고 싶은 말

뜨거운 사랑의 용솟음 보다는

잔잔한 너의 시선

그 안에 맴도는 나

천천히 써내려가는 나의 언어

낡아서 볼품없는 낭만이지만

너의 웃음을 선물 받고 싶다

당신, 참 예쁜 삶을 살아가고 있습니다

# 꽃을 좋아하지 않았다

꽃을 좋아하지 않았다

넌 꽃을 좋아했다

꽃을 건네받은 너의 표정에

간지러운 봄바람이 살랑 불어왔다

꽃을 좋아하지 않았다

단지 그 표정이 다시 한 번 보고싶어

너에게

봄을 선물했다

# 좋아하는 것과 사랑하는 것

너를 보면 즐겁다

너를 좋아한다

단잠 자는 민들레를 꺾어
후 하고 불어보니

흩날리는 꽃씨들에
웃음이 피어오른다

너를 좋아한다

네가 즐거우니
행복하다

너를 사랑한다

단단히 가시에 둘러싸인
네게 찔려도

환하게 피어오른
네 모습에
행복하다

너를 사랑한다

## 36.5도

한가득 품에 안아보았다

따스함이 찌르르 울려 퍼진다

가만히 너의 체온과 내 마음이 뒤엉킨다

아찔한 심장소리에 위로를 받고

일렁이는 속삭임에

불그스름한 마음이 읽혔을까

옅은 미소를 품은 너의 온도를

한가득 품에 안아 보았다

# 봄의 완성

꽃이 피고 봄이 와도

늘 상이 따뜻함은 아니었다

오롯한 너로

나의 봄은

비로소 완성이었다

## 화창한 밤

적당한 꽃 내음과

어둑함에 물들어있던 밤

가장 예쁘게 피어있던 네게

철없는 마음을 건네니

몽글한 미소가 살랑였다

화창한 밤이었다

# 위로받고 싶은 당신에게

투박한 말 한마디
툭,

'잘 될 거야 힘내.'
툭,

공감하는 척
툭,

툭,
떨어져버릴 말이 아닌

별들에게 속삭일 수 있는 말을

당신에게도 전합니다

'오늘 당신은 무척이나 찬란했습니다.'

# 봄의 상관관계

봄이 온다던 날

네가 없어서

봄이 오지 않았다

꽃이 만개한다던 날

네가 없어서

꽃이 피지 않았다

이렇게 좋은 날
이렇게 좋은 너

마침내 봄스럽게 달려온 너로

비로소 내겐

봄이 밀려왔다

# 안아줘요

산돌림처럼 내리는 봄의 향기도,

유채꽃이 살랑이는 꽃구름에도,

일렁이던 새벽 세시 공기의 끄적임에도,

윤슬을 꾸며 그림을 그리던 나의 글에도,

위로 받지 못해 보인다면

선바람 채 울고 있는 나를

그저 안아줘요

# 종이배

하늘을 가득 머금은 호수에
종이 배 하나 띄웁니다

머뭇거림에
잔잔한 물결이 일었습니다

배가 띄운 머뭇함에
물결이 흔들렸지만

돌아오는 물결엔
배가 흔들립니다

부러울 것 없이
하늘을 가득 머금은 호수엔

어느새
너와 내가
떠있습니다

# 나에게 넌

나에게 넌
동그란 마음을 맴도는
비행자국

나에게 넌
아무것도 아닌 밤
바다를 보러갈 수 있는
작은 명분

나에게 넌
끝나지 않는
숨바꼭질

나에게 넌
미적지근한 하루를
사랑에 빠지게 하는
눈시울

나에게 넌

# 건네주세요

모든 꽃과 어울리는
당신의 미소를
내게도 건네주세요

보고 있자면
그저 멍하니

누군가의 사과처럼
또르르, 당신에게로
굴러 떨어질 듯한

그 재잘대는 웃음을
내게도 건네주세요

그날이 온다면

당신의 미소를,
재잘한 웃음을

하루 종일
눈과 손에
그리고 마음에
쥐고 다닐 듯해요

2장.
## 삶에 녹아 피어난 것들

그때의 감정을 낡은 나의 글로 써본다


당신에게서 공감의 꽃이 하나라도 피어난다면


그날은 나의 봄날이겠다.

# 소중한 것

소중한 것들은
자취를 감추고 있다

외로운 흔적을 남기고
사라지면

구름에 물든 별들처럼
한없이 찾게 된다

길어지는 그림자와
하늘을 색칠하는 노을에

소중한 것들의 형태를
그려본다

# 낭만의 유행

가끔은 철지난 낭만이

마음을 헝클어트리고

가끔은 낡아버린 감성이

봄을 기웃거리게 한다

훗날 시들어 유행지난 나의 낭만이

누군가의 마음을 헝클어트린다면

난 기쁘게 피고질 것이다

# 휴일

송아리 째 걸린 볕에 눈을 뜨고

낡은 의자에 앉아

무던한 마음으로

허우룩한 글을 그려 내려가니

떠내려간 일상에 꽃구름이 피어난다

피어난 꽃망울의 마음을 전해들은 오늘은

그저 이렇게 흘려보내야겠다

# 비

먹구름이 가득한 날에
말없이 하나 둘 떨어지는
비를 좋아했다

땅과 하늘 그 사이의
애매한 숫자를
연필로 이어 그리듯 내리우는
비를 좋아했다

종단속도에 다다르면
어느덧 그리기를 멈추고
체념하듯 떨어지는
비를 좋아했다

그러다 문득
푸른 하늘을 그리게 만드는
비를 좋아한다

# 무제

울렁거리는 생각을 접어
피곤한 가로등에 묶는다

윙윙대는 하루는
무엇을 기대하며
내 걸음에 서성이나

시간은 잔인하다
뭉클해진 나의 기억에
찰랑거리는
계절을 주었으니

반짝이며 떠가는 별똥별에
거뭇한 나의 시선을 콕 찍으니

바래진 마음의 모퉁이에
짓눌려진 추억을
털어낸다

# 야경

무턱대고 올라서

숨을 고르다 보면

새끼손톱만 한 달빛이 보이고

가끔은 그 보다 밝은 도시 빛에

마음이 팔리곤 한다

철 지난 낭만을 꺼내려다

글씨가 흐려질까 도로 집어놓고

행복한 결말을 써보려다

그저 맘속으로 옹알인다

# 봄

눈을 감고 가만히 바라보았다

분홍색 하늘일지도 모를 것들이
감은 내 눈에 담겼고

아이들의 흐드러진 웃음소리가
내 귓가에 행복을 피워낸다

흩날리듯 피어난 꽃 내음은
그저 모난 내 콧속에 퍼지고

따사로운 햇살을 타고 날아온 바람은
답답함을 풀어버린 채 원 없이 마셔본다

찾아와준 것이 기특해
주머니 속에 담아두었던 두 손을 꺼내
연신 쓰다듬어 본다

그렇게 눈을 감고 가만히
내 품에 가득 담아보았다

# 욕심과 시선사이

욕심과 시선 사이
오묘한 줄다리기를 할 무렵

숨결이 한껏 차오른 노을 속
무던히 걸어오는 선연함에

여행 하지 않으면
여행 할 수 없음을 본다

곁눈질 한 켠에 자리 잡은
망설임의 기대가
오늘 만큼은 부끄러웠다

# 적당함

적당한 거리와
적당한 웃음

적당한 마음에
적당한 모래성을 쌓았다

견고해 보이던 모래성이
적당한 냇바람에
무너졌다

다시 쌓을 수 있을까

# 트라우마

잠 못 이루는 밤
간직하고 싶지 않은 기억

밝지 않은 밤의 적적한 달빛
그 보다 더 담담히 내린 기억이라면

가끔은 그저 끌어안고
잠들어 보리라

달빛이 신단의 멱을 잡고
고개 숙일 즈음

민들레 씨앗은
아스팔트 틈 안에서도
노오란 꽃을 피우더이다

# 어른이 된다는 것

어릴 적 나는
구름의 맛이 궁금했다

어른이 된다면
반드시 구름을 한 입 베어보리라
다짐했다

어릴 적 나는
바다를 좋아했다

어른이 된다면
반드시 세계 일주를 떠나보리라
다짐했다

어른이 된 나는
구름의 맛을 모른다

어른이 된 나는
세계 일주를 지워버렸다

어른이 된 나는

어른이 되는 것은
꿈을 하나씩 하나씩
지워버리는 것이라
생각했다

# 관계

삼켰던 발버둥을 게워내고
버둥거림에 뒤집힐 무렵

여운인지 후회인지 모를 북점임 속에서
모난 돌을 발로 차 뒤집지 않으리라
생각한 나의 발걸음이 내딘 폭은 그 정도

우물 한 켠에 쭈그려 앉아
오롯이 나를 빛 내우지 못할까 싶어
내가 내딘 생각의 폭은 그 정도

해질 무렵 문득 이는 한숨 속의
애틋한 끝의 폭은 그 정도

푸르름이 남지 않아 보이는
내 모난 돌을 다시 뒤집어 놓고
딱 그 정도의 폭을 내딘다

# 밤하늘

깊고 깊은 바다 속으로
가만히 몸을 내던지듯이
그렇게 숨을 쉬었다

많은 것을 보았다
조용한 숨소리, 깊은 심장소리
그리고 기울인 나의 시선

내게 담아본다

아, 좁디좁은 곳에 담으려했나

내가 담으려한 바다는
조용히 다가와
기울어진 내 시선에 눈을 맞춘다

아, 내가 담겨있었구나

나를 담은 깊은 바다는
작은 숨소리, 깊은 심장소리로
날 담는다

# 바다

그곳에 앉아있노라면

내지른 행복과 덧입은 푸르름,

적당한 벅차오름에

닻을 내릴 틈조차 없이

세상 모든 바다를 항해한다

# 봄의 한숨

콧노래를 살랑거리는 꽃잎이

후 하고 불어본 바람의 장난에

휘이 하고 날아가 버립니다

붉그스름한 하늘과 함께 숨 쉬고 있는 벚 잎

새하얀 눈일지도 모르겠는 *설중매(雪中梅)

못내 아쉬워 까만 하늘에 걸어둔 샛별

그리고 내 속에 남아있는 푸르름

모든 한숨의 쳇바퀴 속에서 묻습니다

이 밤은 언제 끝나렵니까

*눈 속에 핀 매화

# 담장 위 고양이

경쾌한 발소리와
검정색 코가
들킬 때면

쪼르르 달려오다 말고
멈칫한다

좁디좁은 담장위롤
성큼성큼 잘도 거닐더니

작은 울음을 자랑하듯
폴짝 뛰어내린다

기지개를 쭉 피더니
연신 그릉대며
내게 등을 부빈다

마음이 한껏 빼앗겨
한참을 쓰다듬는다

손을 맘껏 핥게 두고
일어나려 하니

한 번 더 꼬리를 살랑

아, 오늘은 못 일어나겠군

# 달의 시

너의 슬픔을 지워주고

진한 밤을 새겨주려

나는 여기 떠있다

# 별이 없는 밤

별이 없는 밤에도

연약하게 뜬 초승달이

별들을 품어

빛 내우니

지나는 밤길이

외롭지 않았다

# 꽃봉오리

그 안에 머금고 있는 세상은
어떤 색일까
들여다볼까 하다가

가만히 춤을 추던 모습이
나와 마주친다

내가 본 미완성은

그 안에 어둔 하늘의 별보다
밝음을 머금고 있었고

조용한 밤의 낮은 숨소리보다
무거움을 메고 있었다

내가 본 미완성은

완성이 덜 되어
무서워하는 색이 아닌

언제든지 타오를 준비가 된
어쩌면 이미 타오르고 있는
불꽃 이었다

# 끝의 기억

조용히 떨어지는 글자에
적당한 한 획을 끼었는다

아름다움이라 일컫는 끝은
아직은 꿈에 젖어 청초하고

끝이라고 일컫는 아름다움은
적당히 만개하여 여운을 남기우니

끼었은 한 획이
일컬음에 종착하고
적당히 만개한 여운을
아우를 수 있으랴

# 별의 밤

군 시절 새벽근무가
주는 선물이 하나 있었다

쏟아질 정도로 많은 별을
맘껏 볼 수 있는 것

여름 더위와 겨울 추위 속
날 토닥여주는 별이
그리 고마웠다

가끔 그 밤이 생각난다
그 밤이 남겨둔 것들을 생각한다

가장 빛났던 밤과
가장 빛났던 우리

# 사랑이 없는 밤

내가 본 서울의 밤은
사랑이 식어 있었다

온통 회색빛으로 가득 차
모지랑이처럼 닳아버린
사람들만 가득

각자의 짐이 무거워 보여
손을 내 밀까 했지만

짓궂은 화면 안
울타리에서 나오지 않았다

내가 본 서울의 밤은
사랑이 식어 있었다

# 쏟아짐의 미학

무엇을 그리 갈망했던가
잘 기억이 나지 않는다

천천히 가도 된다는 말은
내겐 위로가 되지 않았다

그저 모든 것을 쏟아내야 한다
그리 배워왔다

모두 쏟아냈다
그것으로 만족했다

아니, 나만 만족했다

아니, 모두 쏟아내지 않았다

조금이나마
내 안에 남겨두고 싶었다

여기서 자라고 자라
꿈이 되고 별이 될 레니

# 퇴근길

터벅이는 걸음 길에 차오른 공허함은
불그스름 올라온 노을빛에 건네주었고

무거이 내쉬던 한숨은
밤거리를 지키는 가로등에 매달았다

떠있는 달을 보아하니
무언가 걸어주고 싶어

무엇을 걸어볼까 했더니
문득 널 닮고 싶다

주위의 어떤 다채로움 보다
자신의 빛이 맞다며
떠있는 너를 닮고 싶다

다른 이들의
슬픔과 외로움을 안아주는
너를 닮고 싶다

너무 외롭지 말아라

나를 감싸준 너의 빛을
나는 오늘도 사랑했으니

# 꿈

부웅 떠다닌다
공허하게 느껴질 즈음

별을 삼킨다

한 켠에 자리를 내어주고
그의 박동을 읽으며

그가 머금은 숨소리에
시선을 건네 본다

그 무게가 결코 가볍지 않아

꿈을 꾸었다
정처 없이 떠다니다
꿈을 삼킨다

그것마저 멀리 달아날까
삼킨 별을 내뱉는다

꿈이 아닌 별을 꾸려했나

별을 꾸었다
지쳐있던 나의 숨을
가만히 삼켜주던

여전히 결코 가볍지 않은

별을 꾸었다

# 편견

낡아서 빛바랜 문을 열어보았다
초침 소리마저 낡아 버린 오래된 시계,
잎이 떨어져 비쩍 말라 버려진 화분,
잔뜩 기울어진 채 매달린 액자

발자국에 삐걱삐걱 비명을 지르는
나무 바닥과 맞춰 걷다가

먼지가 수북이 쌓인 의자에 앉아보니
좁디좁은 방안이 나로 가득 차있다

가만히 눈을 감고 책상에 엎드려보니
책상만큼이나 낡은 기억들이 날 어루만진다

이곳이 그리 커보였을 때가 있었나
아니 어쩌면 그 때엔
크기조차 가늠하지 못했나
창밖을 보며 이곳에 스며들던 때가 있었나

저기 수북이 쌓인 먼지 더미처럼
아주 무거이 내린 기억들에서
무언가를 발견했던가

아, 이방은 내가 만들었지
더 낡아버리기 전에
닫고 지워버려야지

# 물결

잔잔한 물결에

붉은 색 노을을 덧입히니

나의 쉼표가 되어준다

가쁜 숨을 재촉하던 모습이

선연함에 흐릿해지자

나지막한 숨을

몰아쉴 수 있었다

# 그림

하얀 도화지
괜시리 아쉬운 척 담배 하나 물고
별자락이 떨어지는 소리에
연거푸 그렸다 지웠다

하늘을 머금은 물가에
꽃잎이 하나 떨어지더니

이내 풍경을 머금은 그림에도
별이 하나

이 모든 선들의 끝 종착역에선
떨어진 꽃잎을 다시 마주할까

이 글의 끝에선 떨어진 별을 마주할까

괜시리 아쉬워 연거푸 그렸다 지웠다

# 눈의 걱정

쌓인 눈에
치워볼까 하는 마음

녹아 사라질 것을 알기에
쉬이 몸을 움직이지 않는다

쌓인 걱정에
헤매이는 마음

눈처럼 녹아
사라질 것을 알기에

무던한 마음으로

오늘도
쌓인 눈에 살아간다

# 퇴근길 2

회색빛이 가득하던 길거리
하루의 무게를 짊어 거닐다

지난 한숨을 세어보니
어느덧 꿈자락 까지 흘러갔는지

감정 없는 거리를 거닐다 만난
어딘가 한 구석 시원한 바람에
닿지 않길 바라는 마음을 빼앗겼나보다

숨어버린 파스텔 톤이 남겨둔
잔잔한 발자국의 끝엔
썩 편안한 꿈 자락이 있고

꿈 자락이 남겨둔 발자국의 끝엔
별이 가득한 내일이 있었다

# 불면증

하루의 여운이 여태 가시지 않아서

뒤척임의 헤매임이 끝나지 않고

온몸이 귀가 되어

세상의 소란함에 머물 때

어슬녘부터 떠있던 달무리에

괜시리 야속함을 토해냅니다

# 새벽산책

텅 빈 공간에 무언가 떨어지랴

몰락한 달의 용기와

길 잃은 생각의 색감을 보다가

구깃하던 글씨들이 생각나서

남은 색들을 마저 칠해보려

투박한 마음을 뒤적거린다

알지 못하는 멜로디에도

콧노래를 흥얼거릴 수 있는 것은

무르 익어버린 기대감 덕분이다

# 향기의 냄새

뻔한 걱정과
깊은 탄식에 물들어
주저 않을 때였나

바스락 낙엽과 떨어진
한 자락의 향기가
일렁이더니

애절함을 가두어
내게서 무르익었다

가랑비에 쏟아져
닳아 버린 순간이

영롱한 빛이 되어
나의 숨에 묻어났고

익어버린 애절함

그 끝은 푸르렀다

# 성년

만개한 꽃의 향기는
그 어느 계절보다 찬란하다

눈이 부시다

그저 순수한 꽃망울에
거뭇한 나의 시선을 마주하니
눈이 부시기 시작했다

졸린 듯 비벼대는 잠꼬대는
연신 포롱거렸고

그저 존재함으로
참으로 찬란하며
아름다운
순간이다

# 노란 리본

찬란하던 날개 짓

궤적마저 다채로왔던 너는

나의 기다림에 그저 온기를 건네주며

물음만 짓고 멀리 날아간다

웃음으로 반짝이는 너의 봄에

노오란 꽃이라도 한 송이 보태주려

마침 불어온 따스한 바람에

노란 리본 하나 메어본다

못 다 피운 봄이 내게 건너올 쯤

콧노래로 가득할 너의 봄에

노란 꽃 하나 보내본다

너는 시들지 않는 꽃으로

저물 지 않을 봄을 누리리라

# 애매한 사이

지는 노을의
그 반대편
멱을 잡고 밀려오는 밤

노을과 밤
그 사이

애매한 색감

널 향한 내 걸음
그 반대편
모를 방향만 짓고 있는 너

너와 나
그 사이

애매한 사이

# *이인

온몸이 부서질지언정
자존심이 뜯겨나갈지언정
나 웃으리라

그저 묵묵히 서있을 테니

나의 별을 받아
환한 꽃이 되어
봄을 피워내라

나의 작은 별아

내 몸이 아스라 질지언정
널 끌어안을 테니
달려와 내게 힘껏 안기라

나의 작은 별아
나의 작은 별아


*부모

# 할아버지

나의 친구가 되어주던
하얀 눈 맞은 머리

나의 자장가가 되어주던
당신의 하모니카 속
낡은 멜로디

나의 거름이 되어주던 당신의 삶이

20년이 지난 오늘에서야 보이고
당신의 젊은 날을 그립니다

날 보며 환하게 피우시던
웃음 대신

그 따스한 품에
국화꽃을 피워낸 그 날엔

당신의 사진을 보며
당신의 강아지가 여기 왔다고

환하게 웃음 지으며 말하는
그 철없는 아이는 어느덧

무겁지만 인자하고,
잔잔하지만 깊으며,
주름지지만 눈부신

당신의 그 웃음을 닮아
피워보려 합니다

# 방향 점

누군가 나에게
그 방향이 아니라고 했다

입을 닫았다

그저 입을 닫고
묵묵히 걸었다

진흙과 넝쿨
빼곡히는 가시가 있었다

발걸음은 질퍽거림에 머뭇거리고
가시가 무서워 온 몸을 질끈 감은 채
묵묵히 걸었다

앞길과 발끝에 무뎌진 시선이
서서히 옆을 보게 했다

이슬 내린 나무,
벌레들의 콧노래,
향긋한 풀 내음,
싱긋한 웃음

아무도 가지 않은 길이라면,
이 길의 끝은 아무도 모르겠다

나는
이 방향이 맞다고 했다

# 버릇

무언가를 기록하는
버릇이 있었다

그때의 냄새를 잊지 않으려
그때의 냄새를 기록했다

모난 나의 손과 구겨진 종이
그 사이에
낡은 숨이 흘러나왔다

번듯한 글,
깊은 멜로디가 아닌

그저 밤하늘에
어그러진
작은 아우성

무언가를 기록하는
버릇이 생겼다

아스라져 사라질
작은 소리지만

누군가에겐 닿고
어디선가는 피어나기를

# 지나가나 보다

겨우내 닫혀있던
창문을 열고
마시지도 않는 커피를 내린다

커피를 내리고
하늘을 마실 쯤

벚꽃이 하나 들어오더니
지나가는 봄을 알려주다
아쉬운 노래를 한다

봄이 지나가나 보다

# 별이 없는 밤

별이 없는 밤에도

연약하게 뜬 초승달이

별들을 품어

빛 내우니

지나는 밤길이

외롭지 않았다

# 여름 밤

적당한 밤공기에

떨어진 이야깃거리를

탓하지 않고

까만 먹을 그린 하늘에

그저 삼켜짐을 당한다

적당한 여름밤이다

지르르한 귀뚜라미 소리,

고양이의 작은 발걸음,

도드라진 웃음소리에

오늘은
적당한 여름밤이다

# 불면증2

숨이 턱턱 막힌 기분이
꿈 가는 길을
막아섰다

생각의 꼬리가
생각에게 물려
기나긴 방황을 나섰다

피곤한 밤이어도
잠을 이룰 수 없음은

끝 모를 방황이
내게 내려앉음 이였다

# 불행의 이유

낯선 풍경에
무수한 눈빛을 담은 창문

너저분한 마음 밭
그 가운데
애먼 기억의
재거름들이

날 죽이고 있었다

익숙해지지 않는다

그저 무뎌 익어짐이
행복을 가로 막고 있었다

# 밤과 시

대부분의 후회는
밤에 밀려온다

밤을 좋아한다

나의 시는
밤을 좋아한다

눈치 없이 떨어지는
별똥별을 그리는 시에는

후회가 적히질 않길 바라며
써내려간다

하지만 한참을 고민하다
써 내린 시에는

후회가 묻어있었다

3장.
## 그대 잠시 여기 피어났습니다

그 시절 반짝이는 우리가

잠시 탐이 났지만


내겐 과분한

사랑이었다.

# 낙화

지는 것의 아쉬움이 아니오

그저 원 없이 피어보지 못함의 아쉬움이니

즈려 밟고 가신다면

오롯한 그대 발끝에 피어나겠소

하얀 아쉬움의 조각들을 엮어

그대의 꿈에 피어나겠소

나는

그리 떨어지겠소

# 흩어짐

흘러내린 빗방울에는
네가 있었다

묻어난 빗자국과
짙푸른 기억을 이어보니

날 흘겨 헤집은 마음이
시간을 두드린다

글썽이는 창문에
턱을 괴어 멀찍한 미소를 던지니

예고 없는 비는
언제쯤 그쳐 흩어지랴

## 그리움 이란

나의 불안한 그리움엔
정온 가득한 눈이 내린다

황량한 파도에 휩쓸리던 내게
고요한 미소를 던지우니

꽤나 넘실거리는 꿈을 꾸었다

연약한 나의 여행이
너와 함께였다

# 배웅

하루가 온통
그리움의 색으로 물들었다

멈춰버린 시계 속에
한껏 누워
언저리에서 너를
말없이 보고 있었다

그때의 너는 참 예뻤다

자라지 않는 꽃과
멈춘 시계 속
지워지지 않는 너를

예쁜 기억들로
물들인다

# 길이 되어버린

마땅치 않던 내 품의
고요한 밤에

황량한 바람이 지난
어수룩한 마음의 흔적에

소리 없이 곁에 내린
눈치 없는 작은 낙엽 하나에

널 향한 길이 되어버린
수만 개의 나의 발자국을

이제와
후회한다

# 성장통

순수한 마음 색
까만 선이 그어질 때

럭없이 모자란 내 마음에
너를 담으려 할 때

부서진 나의 글로
너에 대한 후회를 써 내릴 때

비로소 무뎌진
어른이 되어간다

그 시절 반짝이는 우리가
탐이 났지만

내겐 과분한

사랑이었다

# 아껴 읽다

달이 밝던 날

고장 난 손목시계,
향 잃은 향수
반쯤 남은 연필 하나로

바래질까 두려운
널 아껴 읽었다

# 감정의 사이

한껏 외로워본 사람은

누군가를 한껏

사랑할 수 있고

한껏 사랑해본 사람은

누군가로 한껏

외로워할 수 있더라

# 남겨둔 밤

너 없는 밤이
나약한 내 사랑을
탓하며 매질하니

쓸쓸함과 침묵이
돌이킬 수 없는 마음을
곱씹는 듯하다

네가 남겨놓고 간
이 밤을
재촉하니

푸석푸석한 공기와
허우룩한 숨
그 사이

꿀 수 없는 꿈이
쏟아진다

# 어린 위로

멀미에 덜컹이는 버스
무심한 듯 날 바라보는 창문에
세상이 번져 보이기 시작한다

막을 수 없이
흘러가는 길 위에서
나지막한 위로가 듣고 싶어

짧게 타오른 후
남은 그을림을
적당한 시선으로 덧칠한다

늘 그렇듯
밤으로 가는 길은
아픈 가시밭이지만

오늘만큼은
내게 어린 위로를
전해주기로 했다

# 어려운 배웅

고즈넉한 새벽녘
방향 잃은 나침반

부서진 감각이
망설임에 아파했다

가난한 내 마음에
닳아버린 글씨를
띄워본다

비스듬한 시선에
반쪽짜리 채색이 채워지니

그믐달이길 바란
초승달에게
미안한 마음에

뭉클한 마음을
한가득 건네 본다

새벽은 설레인다
마음에 아득함이 일렁이니

아침을 재촉하고 싶지 않지만
한껏 지쳐버린 너를
서둘러 보내려 한다

설레이는 새벽이지만
지친 숨을 쉬게끔

서둘러
어려운 배웅을
건넨다

# 저민 기억

이 글의 끝
그 어디쯤 서있을 당신에게

더딘 내 걸음이
기억되지 않는 밤이라도

닿길 바랐습니다

쏟아진 별의 작은 기척에

당신을 저민 기억이
사라지길 바랐습니다

# 마음이 이끈 방향

마음이 이끈 방향은
항상 너

한 귀퉁이에서
달아난 뒷모습

그 맨 앞줄엔 너

거울 속 흘긴 모습엔
사무침이 녹아내린 표정

텅 빈 표정에서
원망한다
나약했던 내 손끝을

마음이 이끈 방향은
항상 너

# 슬픔을 안는다

익숙하지 않은
순간은 닳아
흐트러진다

기억을 감싸 안기 시작하다가
때 이른 잠을 청해본다

넘치는 시간을
주체하지 못한 채
두드리며
흘러가게 내어둔다

복받치는 설움에
부서지는 밤이지만

한가득
감싸 안아본다

# 사랑을 바라지 않는 밤

너에게서
사랑을 바라지 않았다

익숙해진 뒷모습이
더 익숙해질 무렵

너에게서
사랑을 바라지 않았다

동심을 그리워하는
어른처럼

청춘을 그리워하는
황혼처럼

그 때를 그리워하는
나만 남아있다

# 바람 한 조각

곤히 잠든 때에
바람 한 조각 스치옵니다

썩 반갑지 않은 마중을 내어주니

느지막한 봄 한 조각이
비운 마음에 닿아

아쉬운 배웅을 내어줍니다

시시한 하늘에
자리 잡아 앉습니다

파란 마음을
앗아감이 원망스러워

썩 반갑지 않은
배웅을 내어줍니다

# 밤의 술래잡기

흔들리다
나부낀다

달과 별의 술래잡기에
닳아빠진 검은 밤과
반짝대는 검은 밤이 구분된다

쉴 틈 없는 시계의
뒤엉키는 발걸음이

둥그스름한 그림자에
꾸역꾸역 차오르다가

마침내

흔들리고
나부낀다

# 동화

하늘거리는 원피스
예쁜 구두

적당히 초록한 숲속을
적당한 바람과
함께 걷는 아이

토끼의 낮잠이
몽글해질 무렵

살랑거리는
여우의 꼬리를 따라간다

무지개를 찾는 걸음에
짧은 노을이 지더니

어느덧 그 아이는
너였다

슬픈 결말이 아닌
행복한 결말이길
바라는 마음에

아이의 웃음이
새들에게서도 재잘재잘
피어날 무렵

별똥별들이
사이사이 피어나
함께 누워 뒹굴 거릴 무렵

네가 가장 행복한 무렵이기에
거기서

나는 그만 읽기로 했다

# 그리하여

그리하여 살아있는
그 어느 날

몇 겹으로 겹친 비구름에

한결 선명해진 바람에

검은색으로 죽어가는 밤에

농도마저 진해진 공기에

그리하여 살아있는
그 어느 날

# 꽃, 숨

시들어 떨어진 꽃은

부서질 가치가 있을 만큼

아름답다

그 메마른 날갯짓에

숨이 죽더니

곧 나의 숨을 죽인다

# 부서진다

나는 부서진다

너를 사랑할수록

나는 또 다시 부서진다

한 번 더 부서진다

그럼에도 그 미소를 주워 담아

그 깊은 궤도에

한 번 더 부서진다

부서짐의 끝

그 끝에 생긴 마찰의 불꽃이

너의 하루 끝에 노을 지니

한 번 더 부서진다

# 결말

차분한 낭만
분홍색 설레임에

예쁜 동화처럼
웃으며 막이 내린 결말은

가물가물한 기억에
금세 흘러간다


비가 어울리는 단어와
뜨거운 아련함이 날 울리고

슬퍼진 푸른 바람과
울고 있는 종이비행기와 함께
끝 내린 결말은

누군가의 기억에
오래 머무를 결말

# 혼자 남은 밤

침대 머리맡의
거꾸로 자라는 나무가
내게 파고들 쯤

누군가를 끌어당김이
다만, 기억을 끌어당길 쯤

글자의 그림자가
자신의 아름다운 부분만
갉아 먹을 쯤

지겹도록 자라지 않은
구석의 묵은 먼지와
지루한 하품이 끝날 쯤

혼자 남은 밤
결국 저 아래
묶인 나를 찾아갈 쯤

너로 채워진 밤,
너로 채워질 밤을
그린다

# 읽다 만 행복

깊은 밤,
반쯤 읽은 책

얽힌 기억무리 하나에
깊어지는 중이었다

눈길이 머문 기억은

다 읽고 덮은 행복보다는
반쯤 읽은 행복

굽어진 이야기를 벗 삼아
읽다 만 책을 읽어본다

# 나의 봄은 밤에 피었습니다

2020년 7월 21일 초판 1쇄 발행
2020년 7월 21일 초판 1쇄 인쇄

지은이　　ㅣ김승연

인쇄　　　ㅣ아레스트 (s-lin@hanmail.net)
표지　　　ㅣ이랑 스튜디오

펴낸이　　ㅣ이장우
펴낸곳　　ㅣ꿈공장 플러스
출판등록　ㅣ제 406-2017-000160호
주소　　　ㅣ경기도 파주시 헤이리 예술마을
전화　　　ㅣ010-4679-2734
팩스　　　ㅣ031-624-4527
이메일　　ㅣceo@dreambooks.kr
홈페이지　ㅣwww.dreambooks.kr
인스타그램ㅣ@dreambooks.ceo

ISBN　ㅣ979-11-89129-63-7

정 가　ㅣ12,000원